Frédérique Corre Montagu

Conseils Avisés pour jeunes Parents

Marabout

Remerciements

N'ayant pas la science infuse en matière de bébés, j'ai fait appel à un panel de consultants soigneusement triés sur le volet.

Un grand merci donc à Estelle, Claude, Virginie, Laetitia, Sabine, Marie-Laure, Caroline, Brigitte, Véro, Angélique, Fanny, Céline et Béatrice pour avoir pioché avec humour dans leurs souvenirs, et à mes amis « jeunes parents » de tous horizons pour leurs témoignages.

Au programme

Avant-propos

« Ô rage ! Ô désespoir ! Ô grossesse ennemie ! N'ai-je donc tant vécu que pour cette infamie... ». Dans la rubrique « depuis qu'on a un bébé, on ne nous épargne vraiment rien », voici... un nouveau livre de conseils pour jeunes parents ! On dit « merci » avec un grand sourire. Un peu d'enthousiasme que diable.

« Quel intérêt, vu qu'il en existe déjà 18 582 et des poussières sur le marché ? », vous demandez-vous dans votre petite tête fatiguée ?

Laissez-moi vous expliquer...

Plutôt que de vous asséner de longues pages de théorie, ce livre contient une suite de conseils, d'infos, de clins d'œil complices, de petites listes pratiques que bien des jeunes parents auraient voulu qu'on leur donne la première année et qu'on trouve rarement ailleurs.

Mais, plus encore, ce livre a pour but de vous aider à prendre de la distance et de vous faire rire. Et, entre nous, vous en avez besoin de rire, non ? On vous a tellement vendu le mythe du « un bébé, ce n'est que du bonheur » que vous ne vous attendiez pas à ça. Pas vrai ? (...)

Ce n'est donc pas un livre à lire avec sérieux et gravité, mais un livre à grignoter par petits bouts selon vos humeurs et vos besoins. Car vous allez en vivre des situations auxquelles vous n'êtes pas du tout préparés et sur lesquelles beaucoup de livres spécialisés jettent un voile pudique.

Il va d'abord falloir vous caler avec votre bébé durant les deux grandes phases : les trois premiers mois (Le décollage) et les neuf mois suivants (La mise en orbite) avec ce point culminant de stress que sont les déplacements, avec ou sans bébé (Premières sorties dans l'espace). Mais l'arrivée de votre bébé ne va pas chambouler uniquement vos petites habitudes, mais aussi votre couple (L'équipage) ainsi que vos relations avec les autres (L'entourage). Ce livre s'adresse bien sûr aux nullipares (qui, contrairement à ce que vous pensez, ne veut pas dire que vous êtes nuls, mais que vous êtes parents pour la première fois), mais aussi aux courageux récidivistes qui ont besoin de réviser un peu.

Oui, au cours de cette première année, vous aurez votre lot de situations angoissantes, déstabilisantes, désespérantes...

Mais vous vous en sortirez !

Chapitre 1

Le décollage

Vous accepteriez, vous, de prendre un nouveau job surqualifié sans avoir fait de formation ?
Bien sûr que non !

C'est pourtant ce que vous êtes censés faire au
moment où on vous tend la chair de votre chair
avec un sourire complice. Complice ou sadique ?
Zat is ze question... Bien sûr, on vous apprend le
b.a.-ba en quelques jours mais sitôt sortis de la
maternité, c'est free-style et de surcroît sans filets.
Allez, pas de panique, il y a toujours des façons de
se rattraper.

Ce que 99,9 % des parents
auraient voulu qu'on leur dise dès le début

- Ça ne va pas être facile.

- Ne culpabilisez pas.

- Ce n'est pas parce que des enfants ont peu de différence d'âge qu'ils vont bien s'entendre.

- Tu pleures souvent ? Rien de plus normal, ma chérie.

- Gagatisez, c'est bon pour le moral.

Tétines

Depuis que vous êtes rentrée chez vous, votre bébé prend péniblement quelques milligrammes de lait alors qu'à la maternité, il venait à bout de presque tous ses biberons. Il tète pourtant comme un beau diable mais le niveau ne descend pas. Et ce, à chaque fois.

Et s'il était malade ?
Et s'il n'aimait plus le lait ?

En fait, dans la plupart des cas, c'est un *problème de tétine* : elle est vissée trop serré, son trou est trop petit, sa matière est trop rigide... Sachez par exemple que les tétines en silicone sont particulièrement dures pour les nouveau-nés. En fait, pour démarrer, la solution « zéro risque » consiste à utiliser la même marque de tétines que celles fournies à la maternité.

Le chiffre pas vraiment exact mais qui fait réfléchir

À la naissance de leur premier enfant, 99,9 % des mamans sont aussi **empotées** que les papas.

Pour mieux comprendre votre bébé, mettez-vous à sa place

Vous avez l'impression d'avoir enfanté un **extra-terrestre** dont vous ne comprenez ni les signes, ni le langage ou en l'occurrence, les pleurs ? Justement, visualisez un petit extraterrestre fraîchement atterri sur une nouvelle planète où tout est nouveau pour lui. Ajoutez à ça un tube digestif pas encore tout à fait en état de marche et où, après chaque tétée, ça brûle, ça gonfle, ça coince... Soulagez-le, massez-le en lui mettant quelque chose de tiède sur le ventre et en lui donnant le médicament prescrit par le médecin. Puis au fil des semaines, vous allez comprendre ce qui le stresse et ce qui l'apaise. En attendant, parlez-lui, le son de votre voix l'apaisera.

S.O.S. seins douloureux

Depuis que vous allaitez, vos seins sont tendus et *douloureux* ? Soit vous produisez trop de lait, soit vous êtes en plein sevrage et la production de lait ne s'est pas encore ralentie.

Versez de l'eau agréablement chaude dans un verre suffisamment large pour contenir la partie supérieure de vos seins. Plaquez un sein contre le bord du verre pour qu'il y adhère et redressez-vous. Vous devriez voir le surplus de lait s'écouler. Ou alors sortez un sachet de légumes congelés de votre freezer ou des feuilles de chou fraîches de votre réfrigérateur. Allongez-vous et placez le sachet de petits pois enveloppé dans un linge propre ou les feuilles de chou sur vos seins. Patientez, ça devrait aller mieux.

Et **NON, le ridicule ne tue pas.**

« *Un nouveau-né peut dormir jusqu'à 18 heures par jour...* »

Ça, c'est ce qu'on peut lire dans tout bon manuel de puériculture qui se respecte.

Oui, mais votre bébé, lui, ne ferme pas l'œil plus de ***12 heures par jour***.

D'abord, assurez-vous qu'il n'y a pas une raison valable à ça :

- Mal au ventre (il se tortille en pleurant) ?
- Fesses irritées (elles sont toutes rouges) ?
- Rhume (il ronfle et fait des drôles de bruit) ?
- Trop chaud (il est rouge et il transpire) ?
- Trop froid (il a le visage et le ventre froid) ?

Sachez aussi qu'à trop le solliciter, vous risquez de l'énerver et donc l'empêcher de s'endormir. Alors ***laissez-le*** dans son lit même s'il est réveillé et même s'il râle un peu pour le principe. Il devrait apprendre à se calmer et à s'endormir tout seul.

Vos trois meilleurs amis pour l'année à venir

- Les boules Quies®.

- Les **mouchoirs** en papier.

- Votre lecteur/enregistreur DVD car vous n'êtes pas prêts de revoir une émission télé en direct.

Noyée ? Engloutie, même !

Depuis que bébé est là, vous n'avez pas fait sur-
face. Et pourtant, à bien y réfléchir vous ne faites
pas grand-chose hormis le nourrir et prendre
soin de lui. Résultat, la poussière et le linge sale
s'amoncellent. Quant au reste (les courses, le rangement, l'envoi des faire-part de naissance), n'en
parlons pas.

Non, ce n'est pas un problème d'organisation.
C'est simplement la triste réalité des premières
semaines avec un bébé. En attendant des jours
meilleurs, concentrez-vous sur vos deux priorités
du moment : le **bien-être** de votre bébé et votre
sommeil. Et pour le reste, appelez à la rescousse
vos parents ou des proches ayant eu des enfants.

**Entre frères et sœurs d'armes, on se
comprend.**

Le chiffre à peu près exact, mais qui fait réfléchir

Alors que 99,9 % des jeunes parents disent avoir eu ***trop de visites*** les premiers jours, ils sont autant à regretter de ne pas s'être fait suffisamment aider les premières semaines.

Définition

Bonne fée : Homme ou femme de bon sens pouvant prendre l'apparence d'une puéricultrice, d'un médecin, d'une amie, d'une collègue et que l'on consulte, sans honte et sans vergogne, à chaque fois qu'on se pose une question ou qu'on rencontre une difficulté.

Petites astuces « gain de temps » pour jeunes parents débordés

- Baignez votre bébé seulement un jour sur deux.

- Faites vos courses (couches, eau, épicerie courante...) par Internet et faites-vous livrer.

- Faites le plein de fruits frais et secs, de barres de céréales pour donner à votre corps l'énergie dont il a besoin.

- Portez des tenues confortables et cosy.

- Préparez les biberons à l'avance et conservez-les au réfrigérateur (pas plus de 24 heures).

Ne vous mettez **pas de pression inutile** comme faire des lessives séparées pour les affaires de bébé, lui confectionner chaque jour des petits looks stylés, stériliser tous les objets, tenir un journal de bord détaillé, faire des faire-part customisés...

Biberon vs sein

De nos jours, faire le choix du biberon contre le sein est presque devenu un acte militant. Si vous optez pour le *lait artificiel*, attendez-vous à ce que quelques bergères bien intentionnées tentent de ramener la brebis égarée que vous êtes au bercail.

Pour cela, tous les moyens sont bons dont le plus redoutable est sans doute la culpabilisation. Et c'est vrai, que d'un point de vue nutritionnel et immunitaire, on ne fait pas mieux que le *lait maternel*.

Mais des générations entières de bébés ont été nourries au biberon sans catastrophe. D'ailleurs, bien malin celui qui pourrait faire la différence entre les adultes élevés au sein et les autres...

Le chiffre pas vraiment exact, mais qui rassure

100 % des bébés pleurent, même ceux des spécialistes de la petite enfance.

Soyez pragmatique

Définissez vous-même vos **propres règles** et priorités.

Si vous avez besoin de temps ou si vous êtes tout bonnement épuisée, ne prenez pas le forfait toutes options : si vous allaitez, renoncez aux couches lavables et à fabriquer vous-même vos produits d'entretien. Et si vous avez envie de porter votre bébé contre vous en balade mais que vous n'arrivez toujours pas à nouer correctement votre écharpe de portage, sachez que les porte-bébés kangourous classiques sont très bien et qu'ils s'installent en 20 secondes.

En revanche, si vous êtes à la maison et que vous avez le temps et la possibilité de vous consacrer à 100 % à votre bébé, optez pour le tout-écolo si ça vous tient vraiment à cœur.

Précautions

Devenir parents induit son lot d'angoisses dont la pire est sans doute la peur de la mort subite.

Du coup, vous êtes devenus accros à l'écoute-bébé et sursautez au moindre grésillement. Sachez d'abord que grâce à quelques **mesures simples**, les cas de décès prématurés du nouveau-né ont beaucoup baissé ces dernières années : coucher bébé sur le dos, le faire dormir dans une gigoteuse, ne rien mettre près de ou sous sa tête, avoir un matelas ferme et aux dimensions du lit, ne pas trop chauffer sa chambre, ne pas dormir avec....

Sachez aussi qu'un bébé fait énormément de bruit en dormant et que les éternuements, reniflements, grognements et autres hoquets sont tout à fait normaux. Alors si vous n'habitez pas un palais, au lieu d'allumer l'écoute-bébé, laissez juste la porte de sa chambre ouverte.

L'happy hour

Tous les soirs, c'est deux fois plus... de pleurs !
Si c'est systématique, toujours à la même heure
et sans véritable raison (il n'est pas malade, il a
les fesses propres, il a mangé...), c'est la fameuse
crise du soir, un mystère encore non élucidé
par la science et qui veut que de nombreux bébés
pleurent en début de soirée pendant une à deux
heures. « C'est pour se décharger de tout ce qu'ils
ont vécu dans la journée », diront certains. « C'est
à cause des modifications organiques entre le jour
et la nuit », diront d'autres. N'empêche que c'est
minant.

Que faire ?
- Portez-le contre vous dans un porte-bébé.
- Couchez-le avec une musique douce et laissez-le
  pleurer quelques minutes.
- Mettez-le au calme dans une autre pièce.
- Donnez-lui un bain...
- Et si rien n'y fait, prenez votre mal en patience.

Les faux amis des jeunes parents

- La balance : à trop peser son nouveau-né, on finit par s'angoisser au moindre gramme perdu...

- L'***écoute-bébé*** qui empêche de lâcher prise.

- Le fauteuil à bascule où on se met pour endormir bébé et qui finit par devenir notre lit.

- Les tétines pour calmer le besoin de succion de bébé, mais qui ne restent pas en place et obligent à se lever dix fois par nuit. Sans parler des risques d'addiction.

- Les jouets bruyants dont on ne peut pas régler le son, et qui sollicitent et donc fatiguent les bébés.

  La musique pour enfants particulièrement éprouvante pour les oreilles des grands et qui finissent par donner des envies de meurtre : « Bécassine, c'est tout sauf ma copine... »

Mais pourquoi les microbes, ça existe ? Hein, pourquoi ?

Un petit *rhume* de bébé, ça se soigne comme un petit rhume de grand.

On surélève légèrement le matelas en glissant dessous un petit oreiller (à faire aussi en cas de toux), on fait boire beaucoup bébé et on lui essuie modérément le nez avec des mouchoirs doux. Pour le reste (mouche-bébés, lavage de nez au sérum physiologique, humidificateur dans la chambre), on demande l'avis de son *pédiatre*.

La première fois, vous annulerez sans doute tous vos rendez-vous pour rester cloîtrés chez vous avec lui. Après, *vous vous habituerez*. VOus déstresserez. Et il vaut mieux, quand on sait le nombre de microbes qui le guettent.

L'happy hour (bis)

Ouvrons le cahier de doléances des bébés lors du bain :

J'ai froid : Augmentez la température de la salle de bains.

Ça pique les yeux : Posez-lui un gant roulé en boudin sur le front.

J'ai peur de l'eau : Au début, tenez-le comme à la maternité pour le rassurer.

J'ai peur de la pomme de douche : Mettez un gant dessus ou rincez-le avec une éponge.

Je n'aime pas quand on m'habille : Achetez des bodies qui s'ouvrent entièrement par-devant et mettez un mobile au-dessus de la table à langer pour le distraire.

Je veux jouer ! : Offrez-lui des jeux de bain.

J'ai faim : Changez l'horaire du bain.

J'ai envie de vomir : Ne faites pas le bain après le repas.

J'ai sommeil : Avancez l'heure du bain.

Les (dé)goûts et les couleurs...

Depuis que vous avez un bébé, vous avez dû surmonter pas mal de phobies : les soins du cordon, les couches bien chargées, les jets de pipi dans la figure, les régurgitations et autres vomis...
Eh oui, vous allez vite découvrir qu'être parents comporte son lot de **tâches répugnantes** pour lesquelles aucun de vous deux n'est programmé. Car non, Messieurs, les femmes n'ont pas le gène du « je-nettoie-tout-sans-sourciller ». Vous allez donc vivre de grands moments de solitude, voire même d'agacement face aux excrétions de votre bébé.

Vos meilleures armes de survie ? Un zeste d'humour et **un stock de pinces à linge** pour vous boucher le nez !

Ce qu'on regrette de ne pas avoir quand on devient parents

- Le don de télépathie.

- Le don de l'hypnose (ou, au moins, les yeux sur roulement à billes de Kaa).

- La **résistance** au manque de sommeil des marins.

- Des mains rétractiles supplémentaires.

- Un bouton on/off pour l'ouïe et l'odorat.

- Une poche ventrale comme les marsupiaux.

- Plein de sous pour pouvoir se payer une femme de ménage, une cuisinière, un jardinier, une intendante...

- Le don de voyance pour voir quand tout ça sera terminé.

N'ayez pas de scrupules

Aucune loi n'oblige les jeunes parents à utiliser tous les cadeaux de naissance qu'on leur fait. Et s'il en est un qui s'en fiche particulièrement, c'est bébé. Donc **exit** le lion géant qui perd ses poils par poignées, la parure de lit Superman complète, les jouets qui clignotent de partout et font un bruit infernal, les gilets tricotés avec des vieux restes de laine et les centaines de pyjamas en pilou-pilou en 6 mois... Donnez-les à la Croix Rouge ou sinon, ouvrez un musée des horreurs.

57ᵉ jour de détention...

Vous n'osez pas sortir de peur que votre bébé ait trop froid ou trop chaud, qu'il attrape un rhume, un coup de soleil, une bronchiolite. Ce sont des craintes justifiées mais, pour peu qu'on prenne un minimum de précautions, les promenades au grand air lui feront le plus grand bien.

À trois conditions :

- Que bébé soit en bonne santé.
- Qu'il ne fasse pas −10° C en plein soleil ou 35° C à l'ombre.
- Que bébé soit bien équipé : s'il fait froid, mettez-lui une combinaison pilote, des gants, un bonnet, des chaussettes et prenez une petite couverture et s'il fait chaud, habillez-le légèrement et veillez à ce qu'il soit bien protégé du soleil et du vent. Et pensez au brumisateur.

L'heure est aux « grands renoncements »

Les bébés naissent avec **le réflexe de succion**. C'est un réflexe de survie, un véritable besoin qui leur permet de se nourrir, mais aussi... de se calmer. Alors, imaginez leur désarroi et leur énervement, si on les prive de ce petit plaisir ! C'est pourquoi tant que votre bébé n'aura pas trouvé de substitut (son pouce, sa main, un doudou...), donnez-lui une tétine. Mais avec modération, c'est-à-dire juste quand il en a besoin : pour se détendre, pour s'endormir... Et si elle tombe et qu'il ne râle pas, c'est signe qu'il n'en a plus besoin.

Le lancer de tétines sans les mains

Vous passez votre temps (le jour et... la nuit) à ramasser sa tétine ?

Dans la journée, installez votre bébé dans un maxi-cosy ou une nacelle étroite et quand il tournera la tête sur le côté pour se reposer, glissez une peluche plate entre la paroi et la tétine pour la maintenir en place. Ôtez la peluche dès que votre bébé sera calmé. Si la nuit il s'habitue à dormir avec, vous allez malheureusement devoir vous relever tant qu'il ne sera pas capable de la retrouver lui-même. Pour l'y aider, vous pouvez disposer une dizaine de tétines autour de lui en espérant qu'il en trouve une par hasard ! Autre solution : *la tétine fluorescente* qui luit dans le noir.

La stérilisation

Au premier bébé, c'est le stress absolu pour ne pas dire une **obsession**. On stérilise absolument tout et dès que la tétine tombe par terre, on devient hystérique.

Au deuxième bébé, on arrête la stérilisation dès qu'il commence à se mettre les mains dans la bouche et, si sa tétine tombe par terre, on se contente de la **passer sous l'eau chaude** avant de la lui redonner.

Au troisième bébé, on stérilise sous l'eau bouillante ou au lave-vaisselle, et quand la tétine tombe par terre, **on la met dans sa bouche** pour la nettoyer avant de la lui redonner.

Et au huitième bébé, on ne stérilise plus rien car on a compris que, hormis problèmes de santé particuliers ou méchant virus en cavale, si **on lave soigneusement** l'intérieur des biberons et des tétines à l'eau bouillante, bébé ne risque rien.

Définition

Pleurs : Seul moyen de communication des bébés. C'est un véritable langage crypté pour lequel, bien sûr, il n'existe ni manuel ni décodeur d'autant que chacun a ses petites spécificités. Mais avec le temps, vous arriverez à faire la différence entre les six ou sept cris indiquant s'il a faim, s'il a sommeil, s'il a la couche pleine ou si c'est tout bonnement la tristement célèbre « crise du soir ».

Courage, dans un an, vous serez bons pour « Langues O » !

Mais qu'est-ce qu'il a ?

Heureusement, les **pleurs varient** selon leur cause. Les pleurs de faim, par exemple, sont réguliers et répétitifs. Les pleurs de colère sont longs et prolongés. Ceux de douleur sont brusques et hachés.

Certains comportements ou signes peuvent aussi vous aider :

- S'il suce frénétiquement votre doigt, c'est qu'il a faim.
- S'il ne sent pas la rose, c'est qu'il a fait caca.
- S'il se tortille en ronchonnant, c'est qu'il n'arrive pas à faire caca.
- S'il est ronchon et qu'il a les yeux cernés, c'est qu'il est fatigué.

Le bureau des réclamations

Quant aux messages qu'il essaie de vous faire passer, voici quelques suggestions :

- Quelque chose me gêne : j'ai le nez bouché, le bonnet sur les yeux...
- J'ai mal quelque part (au ventre, aux oreilles, aux dents, aux fesses...)
- *Je veux un câlin !*
- Arrêtez de me prendre tout le temps ! J'ai juste envie de dormir.
- Prenez-moi, je ne veux pas dormir !
- Je ne me sens pas en sécurité ici (dans un grand lit, dans le bain...).
- Je suis fatigué de ma journée.
- C'est quoi encore, ce nouveau truc ?
- C'est quoi encore, cette nouvelle tête ?
- Ma grande sœur fait du tam-tam sur ma tête.
- Où est mon doudou ?
- Quelque chose m'a fait peur : un gros chien, un grand bruit...
- *Je ne sais même plus* pourquoi je pleure.

Il y a autant d'histoires d'allaitement que de femmes

L'allaitement vous fait souffrir, ou au contraire, il se passe bien, mais vous fatigue ? Vous ne supportez pas votre nouveau statut de « mère nourricière » qui vous monopolise à plein-temps et vous oblige à manier des objets physiquement et psychologiquement déroutants comme le tire-lait. Ou enfin, vous n'aimez simplement pas ça.

Pourquoi continuer ? Le lait infantile est aussi très bien et fait aussi de beaux et robustes enfants. Peu importent les moyens employés, l'important c'est de **_nourrir à sa faim_** votre bébé et que tout le monde soit heureux et zen à la maison.

Alors, à la prochaine tétée, présentez-lui un biberon au lieu de votre sein et voyez comment il réagit.

Avoir un bébé, c'est un peu comme faire du bricolage

On **tâtonne**, on teste, on se trompe, on réessaie, on râle, on réfléchit... Et on découvre vite que certains outils peuvent sauver la vie : tétine, mobile, veilleuse, , doudou, porte-bébé... Mais il y en a un qui détrône tous les autres. Un polyvalent et 100 % naturel : le petit doigt. Il sert à :

- Vérifier si bébé a faim ou s'il veut juste téter : dans ce cas il le suce en aspirant comme un forcené.
- Lui ouvrir la mâchoire quand elle est fermée comme un piège à loup sur votre sein.
- Lui mettre de la crème apaisante sur les gencives lorsqu'il a mal aux dents.
- Faire « les petites marionnettes » pour l'amuser.
- Vérifier l'assaisonnement et la température de sa purée.

L'enfer de la nuit

- Voici quelques petits trucs pour *alléger* vos souffrances :

- Si vous allaitez, faites dormir votre bébé près de votre lit pour n'avoir qu'à vous pencher quand il aura faim.

- Dormez avec votre robe de chambre, quitte à dormir sur la couette, pour être toujours correctement couverte.

- Si vous donnez le biberon, aménagez-vous un petit coin douillet pour vous poser la nuit avec une couverture douce, des coussins pour vous caler, une serviette en cas de fuites, un verre d'eau.

- Assurez-vous que vous avez au moins deux biberons d'avance au frigo pour pouvoir réagir vite en cas d'accident.

Prescription

Mantra à vous répéter au moins trois fois par jour : « C'est provisoire, ça va passer. C'est provisoire, ça va passer. C'est provisoire, ça va passer... »

« *Il ne faut pas secouer les bébés !* »

En entendant cette phrase à la radio, vous avez cru à une mauvaise blague. Comme si des parents secouaient leur bébé ! Vraiment...

Oui mais voilà, après 107 jours, 9 heures, 35 minutes et 27 secondes de pleurs, vous comprenez que certains en arrivent à cette extrémité. Le problème, c'est que jusqu'à un an, les bébés sont très **fragiles** et que la moindre manipulation un peu musclée peut faire de gros dégâts dans leur cerveau ou leurs yeux avec des séquelles très graves : hémiplégie, tétraplégie, retard mental, troubles du comportement, difficultés scolaires, troubles visuels graves et parfois, le pire. Donc, on ne secoue pas un bébé comme une poupée en chiffon même quand on est très énervé. Dans ce cas, il faut le poser dans un endroit sûr et aller dans la pièce d'à-côté respirer un grand coup à la fenêtre. Ou passer le relais à un autre adulte et sortir faire un tour.

Personne n'est parfait !

Les **erreurs** les plus courantes des jeunes parents ?

- Accourir dans la chambre de bébé au moindre bruit, car les bébés font non seulement du bruit en dormant, mais s'éveillent aussi brièvement entre deux cycles de sommeil. Si vous avez besoin de vous rassurer, passez un coup d'œil discret par l'entrebâillement de la porte.

- Rester enfermés quand bébé dort : au contraire, jamais il ne vous laissera autant en paix que des trois premiers mois. Alors installez-le confortablement dans son landau et sortez.

- Fixer des horaires : les bébés de moins de 3 mois ne sont pas calés sur un cycle de 24 heures, donc c'est à vous de suivre son rythme.

- Ne pas profiter des siestes de bébé pour dormir aussi.

Chapitre 2

La mise en orbite

« *Trois mois et un jour. Yes !* » Le plus dur est passé. Bébé va maintenant pouvoir se caler sur un rythme normal, c'est-à-dire le nôtre. À nous, la belle vie ! »

C'est ce que tous les jeunes parents se disent à ce stade mais, sans vouloir gâcher l'ambiance, ce n'est pas la réalité. Il va y avoir des ratés (pleurs du soir, réveils nocturnes, couchers interminables, angoisses du 8e mois...) mais aussi de grandes découvertes génératrices de doutes et de stress pour les jeunes parents. Bref, si un cycle se termine, un autre commence.

Et pas des moindres...

Very bad trip

Voici les **pires souvenirs** d'anciens jeunes parents :

- Les séances de kiné respiratoires.

- La gastro de cinq jours... et la constipation qui suit.

- La première grosse chute quand il faut se relever dix fois dans la nuit pour vérifier que bébé va bien.

- Les lendemains qui déchantent après une soirée un peu trop longue et un peu trop arrosée chez des amis avec, en sus, une nuit dans un vieux canapé avec un bébé enrhumé à cinquante centimètres de là.

- En vacances, les séances bronzage avec les copines ou les apéros loupés pour cause de sieste ou de repas.

Mais tous ont survécu. Courage !

Avant... c'était avant.

Avant vous aviez de grands principes : « On fera comme ci... », « On ne fera pas comme ça... »

Mais c'était avant d'être sur le terrain. Maintenant que bébé est là, vous voilà tout ***désemparés*** car, face à la réalité, vos beaux principes ne tiennent pas vraiment la route. Pas d'inquiétude, c'est normal de tâtonner, d'expérimenter, surtout avec un premier bébé. Et c'est encore plus normal d'adapter ses grandes théories au caractère de l'enfant. Car aucun bébé ne se ressemble et s'il y avait un mode d'emploi unique, ça se saurait. Être parents s'apprend sur le tas et toute la vie.

« *Gronder bébé, quelle idée !* »

Et pourtant, on est très vite confrontés à la né-
cessité de donner des règles, **d'imposer des
limites**.

Facile à dire... Surtout quand il fait sa
bouille d'ange. Et puis, pour rien au
monde, vous ne voudriez le contrarier...
des fois qu'il cesserait de vous aimer ! Eh
bien, détrompez-vous, l'autorité rassure et
structure, même si sur le coup ça frustre.
Le secret, c'est d'être cohérents et fermes mais pas
sévères : pas de gestes violents, la grosse voix et
les yeux noirs suffisent amplement.

Le chiffre à peu près exact, mais qui rassure

99,9 % des jeunes parents voient leur **capital sommeil s'effondrer** comme les actions Renault en 2008.

On vous l'a déjà dit

Maintenant que vous connaissez les différentes **causes de ses pleurs** et ses divers messages, cessez le supplice : non, n'allez pas le chercher, et éteignez l'écoute-bébé. Et ne vous inquiétez pas, les plus traumatisés dans l'histoire, c'est vous.

Allô docteur ?

Avant trois mois, un bébé ne fait pas de poussées de **fièvre**. Après ça se complique car son organisme commence à se battre contre les infections. Dans les semaines et les mois qui viennent, vous allez donc connaître plusieurs accès de fièvre.

Si sa température ne monte pas au-delà de 38,5° C, mettez-lui un petit suppositoire de Doliprane, découvrez-le un peu, faites-le boire et vérifiez qu'il ne fait pas plus de 20° C dans la pièce où il est. Si elle dépasse les 38,5° C et qu'elle s'accompagne de symptômes (petits boutons, pâleurs, refus de boire, diarrhée ou encore vomissement), appelez un médecin.

N'emmenez-le aux urgences qu'en cas de forte fièvre, persistante uniquement.

Une bouchée pour maman...

En ce premier jour béni de la diversification alimentaire, votre bébé vient de vous recracher sa petite purée de haricots verts à la figure... Sachez pour commencer que jusqu'à un an, il n'y a rien de meilleur que le lait pour les bébés. Ca fait relativiser, non ? Alors, pas de panique, vous avez le temps de lui apprendre à manger tout seul sans que ça tourne au drame à chaque repas. Le truc, c'est de lui proposer une **petite cuiller** d'un aliment à la fois par jour. Il refuse la petite cuiller ? Mélangez un peu de purée dans son biberon de lait et augmentez progressivement les doses. Les purées maison ont une texture qui ne lui plaît pas ? Commencez la diversification par des petits pots de légumes à la carotte, aux courgettes... Sachez aussi que rien n'interdit de commencer la diversification par des compotes de fruits.

À bon entendeur...

... une bouchée pour papa

Une fois que bébé a compris qu'on ne veut pas l'empoisonner avec tous ces aliments colorés, il passe dans la phase « *expérimentation* » : je patouille ça à pleines mains / je m'en tartine le visage / je m'en colle dans les narines / je m'en shampouine la tête / je recrache ça à la figure en faisant la moto / je lance des petites cuillères pleines de purée sur le tapis neuf... Vous n'y pourrez rien. Au début, votre bébé mangera salement... comme tous les bébés du monde car lui ce qui l'intéresse, c'est faire des expériences, de s'amuser en mangeant.

Alors, à chaque repas, pensez à vous munir d'un stock de bavoirs, d'éponges et de papier absorbant.

Sinon, il y a l'option *ciré breton* pour supporter stoïquement les embruns.

Docteur ès onomatopées

Lolo, miam-miam, tutute, totote, nin-nin, bobo, bibi, sans oublier les célèbres pipi-caca... le langage « bébé » est un syndrome qui touche nombre de jeunes parents désireux de se mettre à la portée de leur bébé.

En effet, quand ils commencent à parler, les bébés utilisent des ***mots-valises***, c'est-à-dire des mots exprimant plusieurs choses à la fois comme bobo qui signifie bien sûr la douleur, mais aussi l'objet responsable de cette douleur et l'endroit douloureux. C'est d'ailleurs comme ça qu'ils peuvent se retrouver à faire des conversations entières à base de « bah ».

Mais n'oubliez pas que vous êtes ses seuls modèles, ses seuls professeurs.

Alors parlez-lui correctement, avec de vraies phrases.

Jet lag

Ça y est, il fait enfin des nuits complètes ! Mais, catastrophe, il faut **changer d'heure** le week-end prochain. Du coup, c'est la panique, car les bébés n'ont pas de montre mais une horloge interne très, très bien réglée. Alors anticipez et commencez à le décaler progressivement (10 à 15 minutes par jour) quelques jours plus tôt pour être dans le nouveau rythme le lundi suivant. « Trop tard » ? Dans ce cas, vous allez en effet souffrir un peu car votre bébé va mettre quelques jours à se caler. Heureusement, tout va très vite rentrer dans l'ordre... en attendant le prochain changement d'heure.

Game over.
Play again.

« Eh-Oh, Laa-laa ! »

Damned, les **Teletubbies** !

Et vous qui vous étiez jurés de ne jamais leur ouvrir la porte de votre foyer. Trop tard car maintenant qu'il les a entraperçus à la télé, Bébé va vouloir les revoir, ces drôles de peluches. Et souvent ! Mais pourquoi ? Observez bien votre bébé et ses nouveaux amis : même gros ventre, mêmes petits bras, même démarche maladroite, même langage : « bah ! », « eh oh ! », mêmes besoins : « gros câlin » sans parler du bébé-soleil qui les regarde du ciel. Bref, tout est fait pour capter l'attention des bébés qui n'ont pas encore une vision et une audition parfaites.

Alors, pendant qu'ils papotent entre eux, profitez-en pour passer l'aspirateur en faisant « sleurp, sleurp » comme celui des Teletubbies. Succès garanti.

TV or not TV ?

L'apparition de **chaînes spéciales bébé** a fait l'objet de nombreuses et houleuses discussions... C'est vrai que la télévision présente de nombreux inconvénients comme celui de l'addiction. Mais elle a aussi des avantages non négligeables pour nombre de jeunes parents débordés et fourbus, notamment celui de « garder » bébé pendant qu'on fait autre chose (le repas, la lessive, une microsieste...).

On fait de la télé une alliée à condition de l'utiliser avec une extrême modération (pas plus d'un quart d'heure par jour) et de mettre bébé à bonne distance de l'écran.

On évite les programmes des chaînes généralistes souvent trop violents et entrecoupés de pub... Ou alors on lui met un petit DVD.

Rien ne sert de courir...

On vous a dit maintes fois que chaque bébé grandit à **son rythme**.

Mais ce qu'on ne vous a pas expliqué, c'est ce perpétuel mouvement de balancier : « Je fais mes nuits depuis une semaine et hop, je me mets de nouveau à appeler vers 2 heures du matin. » « J'ai pris l'habitude de manger à 12 h 15 mais depuis mon week-end chez tatie, je réclame à manger à 11 heures », etc.

Avec un bébé, il faut sans cesse remettre son ouvrage sur le métier. On n'avance pas régulièrement en ligne droite, mais par à-coups et rétrogradages. L'important, c'est d'arriver à bon port et vous y arriverez, quelles que soient les voies de traverses que vous aurez empruntées ou les fossés dans lesquels vous vous serez affalés.

Dans la famille « grain de sable qui vient gripper la belle mécanique », je demande... le vaccin !

La première année la liste des vaccins à faire est longue mais ils ne sont heureusement pas tous obligatoires (comme le BCG) et souvent regroupés dans une seule injection.

Parlez-en à votre médecin ou votre pédiatre, il saura vous conseiller. Mais attention, **ça secoue** : fièvre, douleur ou réaction cutanée à l'endroit de la piqûre, tout ça engendrant une grosse colère... Et comme ça arrive parfois 7 à 10 jours après, on peut être surpris. En attendant, faites seulement un vaccin à la fois et mettez-lui un petit suppositoire de Doliprane avant la piqûre même le soir, avant de le coucher.

En cas de réactions ou d'inquiétudes majeures, n'hésitez pas à **appeler votre pédiatre** ou S.O.S médecins.

Le chiffre pas vraiment exact, mais qui rassure

99,9 % des parents se rendent compte qu'*ils ont à peine eu le temps de régler un problème* que leur bébé est passé à autre chose.

Le classique, sinon rien

Voici venu le moment de **coucher bébé** et de le préparer à la dure réalité de chaque soir : dormir seul dans son lit la nuit... et dans sa chambre. Définissez un *rituel du soir* en le limitant à un quart d'heure maximum et en le respectant à la lettre. Trop tard ? Vous en êtes déjà au rituel n°7 avec histoire, chanson, câlin et trois tours de mobile ? Dans ce cas, profitez d'un changement de cadre (week-end chez les grands-parents, vacances) pour rectifier le tir en revenant aux basiques : la petite chanson ou la petite histoire (notez l'importance du « petite ») et un gros bisou. Tout devrait bien se passer.

Le chiffre pas tout à fait exact mais qui fait réfléchir

Quand ils voient leurs parents accourir au moindre pleur, 99,9 % des bébés voient leurs **craintes confirmées** : « Je n'arriverai jamais à m'endormir seul », « Je n'ai pas eu assez de câlins », « Il y a un monstre sous mon lit. »

L'angoisse de la balance

Chaque mois, c'est la même scène. Le pédiatre **pèse et mesure** bébé (quand il ne gigote pas trop). Puis il fait une petite croix sur les courbes de croissance (taille, poids, périmètre crânien) qui ornent joliment son carnet de santé en laissant échapper un « Ah, quand même ! ». Là, vous pensez deux choses : « Il a trop grossi » ou « Il n'a pas assez grandi ». Le médecin relève alors la tête et vous regarde d'un œil soupçonneux comme s'il se demandait ce que vous pouvez bien mettre dans ses biberons.

Mais pourquoi accorde-t-il autant d'attention à ces courbes ? Parce qu'un bébé qui grossit et qui grandit régulièrement est un bébé en bonne santé. Après, s'il s'écarte légèrement de la tendance générale, ce n'est pas un drame. Il y a plein d'autres facteurs que l'alimentation qui entrent en jeu, dont celui de l'hérédité.

Donc **wait and see**.

Définition

Crise des 8 mois : Énorme écueil que l'on voit se profiler à l'horizon quand on a enfin trouvé un rythme de croisière avec bébé.

La fameuse crise des 8 mois

Votre bébé, d'habitude si curieux et si jovial, se crispe dès qu'un autre adulte apparaît. Quand il ne hurle pas !

C'est le signe qu'il entre dans une période clé de son ***développement psychologique***. Il comprend que vous êtes son repère. Le problème, c'est qu'il a aussi compris que vous n'étiez pas à sa totale et entière disposition et pense, à chaque fois que vous disparaissez de son champ de vision, que vous n'allez plus jamais revenir. D'où de poignantes scènes quand une tierce personne arrive. Alors, ne le brusquez pas. Ne l'obligez pas à sourire ou à accepter des bisous dont il ne veut pas. Ne le grondez pas. Et habituez-le au principe du « je pars, je reviens » en jouant à cacher des objets qu'il doit retrouver.

Manger varié... mais pas trop

Votre bébé prend l'eau du bain pour du jus d'orange, les croquettes du chat pour des bonbons, ses livres pour des gâteaux secs et son caca pour du chocolat ? C'est normal.

Si les bébés portent tout et n'importe quoi à la bouche, c'est par **réflexe**, un réflexe acquis dans le ventre de leur maman et qui leur procure à la fois du plaisir et des informations concernant leur environnement. Cette phase d'exploration va durer jusqu'à environ 18 mois et doit être encadrée. Quand vous le voyez porter un objet que vous jugez inapproprié à sa bouche, expliquez-lui ce que c'est et à quoi ça sert en le lui prenant gentiment des mains. Ôtez aussi de son passage tout ce qui peut être dangereux : petits jouets, plantes, cacahuètes et autres petits objets ...
Et évitez de lui dire : **« Pouah, c'est caca. »** Ça ne ferait qu'aiguiser sa curiosité.

Onze nuits complètes...
et pas une de plus !

À peine avez-vous réussi à caler bébé sur un rythme jour-nuit qu'il a commencé à faire ses **dents**. Ça a commencé subrepticement par un nez qui coule, des fesses rouges, des vêtements trempés de salive, des ronchonnements...

Puis, un jour, ça a été le grand show : gencives gonflées et hurlements ce qui est normal quand on sait que les douleurs dentaires des bébés sont d'une magnitude d'au moins 8 sur l'échelle de l'Atrocité. Le problème avec les bébés, c'est qu'en plus de souffrir, ils ne savent pas pourquoi ils souffrent.

Il faut le leur expliquer avec des mots simples qui, même s'ils ne les comprennent pas, les rassureront : « Tu as mal parce que tes dents poussent. Ça va passer et je vais tout faire pour te soulager. »

Trucs et astuces

Si les premières dents le font souffrir, ***massez-lui les gencives*** avec le doigt. Sinon :

- Donnez-lui un anneau de dentition de préférence réfrigéré car le froid apaise la douleur (à stocker au réfrigérateur et non au congélateur).

- Donnez-lui une tétine, un doudou à mâchouiller, ou, s'il est suffisamment grand, une tasse à bec antifuites à mordre frénétiquement.

- Pensez à l'homéopathie qui marche très bien sur le long terme (Chamomilla en 9 ou 15 CH ou le composé Camillia).

- Offrez-lui un collier d'ambre (à enlever la nuit pour éviter les accidents).

- Et pour les solutions d'urgence, n'oubliez pas ce grand classique : le suppositoire de Doliprane.

Trucs et astuces (bis)

Pour soigner votre bébé sans que ce soit le calvaire :

- **Expliquez-lui** ce que vous faites et dites-lui que ça va le soulager.

- Pour le moucher, allongez-le, bloquez-lui doucement la tête sur un côté avec la main et versez-lui un peu de sérum physiologique en dosette dans la narine du dessus. Ça devrait le faire éternuer et donc lui dégager le nez.

- Pour les sirops qui se donnent à la cuillère, prenez bébé **sur vos genoux**, placez la cuillère dans sa bouche en appuyant légèrement sur sa langue et basculez-le vers l'arrière.

- Quant au suppositoire, enduisez-le de vaseline, levez les jambes de bébé et faites le jeu de **« la fusée qui va rentrer dans le hangar »**.

Bébé joue

Choisissez des jouets **adaptés à l'âge** de votre enfant en sachant que s'ils portent la mention « à partir de 6 mois », ça ne veut pas dire que votre bébé jouera avec à cet âge-là mais qu'il commencera juste à s'y intéresser. Regardez ensuite s'il est conforme aux normes de sécurité actuelles. Dans ce cas, il doit avoir un « CE » et un « NF » bien lisibles.

Assurez-vous aussi qu'il est en bon état et qu'il a une notice en français indiquant clairement le nom et l'adresse du fabricant. Puis testez-le pour voir s'il n'est pas trop bruyant, trop fatigant visuellement ou intellectuellement (trop d'activités). Enfin, l'emballage ne doit présenter aucun danger car c'est avec ça qu'il jouera en premier !

Le best of des jouets des parents et des bébés !

- ***Sophie la girafe.***
- Un mobile musical.
- Un arceau avec des jouets qui pendouillent, à installer sur sa poussette.
- Un tapis d'éveil.
- Des livres en tissu pour les plus petits et en carton pour les plus grands avec des volets à soulever ou des textures à toucher.
- Un hochet qui fait du bruit quand on l'agite et qui soulage les maux de dents.
- Des cubes à empiler.
- Des doudous avec plein de bouts à suçoter.
- Un arrosoir pour le bain.
- Un album photo en tissu avec des photos des gens qu'il aime dedans.
  En revanche, ne lui présentez pas tout à la fois. Faites une sélection dans son parc, dans une boîte à laquelle il a facilement accès ou encore dans un chariot qu'il utilisera plus tard pour apprendre à marcher.

Le chiffre à peu près exact, mais qui rassure

99,9 % des gens ne se souviennent absolument pas de leur première année de vie.

Ce qui veut dire en vrac que votre bébé **ne se souviendra pas** : que vous l'avez laissé pleurer certains soirs, que vous ne lui avez rien acheté à Noël (pas le temps et à quoi bon puisqu'il ne jouera qu'avec les emballages), que vous lui avez parfois donné à manger des petits pots (et froids !), que vous lui avez crié dessus de fatigue et de désespoir, qu'il a passé plus d'une nuit dans son couffin dans la salle de bains, que vous l'avez fait garder à 3 mois pour aller faire la fête, que vous lui avez fait un pâté de sable sur la plage en guise de gâteau pour son premier anniversaire.

« *Tous aux abris, bébé marche* »

... ou presque. Et, ô joie, votre bébé va enfin pouvoir **toucher** ce qu'il convoite depuis des mois. Expliquez-lui ce qu'il peut toucher et surtout ce qu'il ne peut pas toucher. Dans ce cas, un grand « non » devrait suffire. Pour sa sécurité, adoptez quelques mesures simples : ne jamais le laisser vadrouiller seul, fermer les portes des pièces où il n'a pas le droit d'aller, barrer l'accès des marches ou des escaliers, enlever les meubles en dessous des fenêtres (surtout si vous habitez en haut d'une tour), mettre les médicaments et les produits ménagers hors de sa portée et installer des cache-prises, si nécessaire...

Chapitre 3
*Premières sorties
dans l'espace*

Même si les premières semaines vous ont un peu mis K.O., vous êtes plus déterminés que jamais à retrouver une vie normale. Et qui dit « vie normale », dit « sorties ». Là encore, la plus grande prudence s'impose car le moindre détail ou oubli peut transformer ce qui s'annonçait comme une charmante petite virée en famille en un véritable cauchemar. Vos deux armes secrètes pour réussir votre mission ? L'anticipation et l'organisation.

Briefing...

Mise en situation :
le premier dîner chez des amis

Vous arrivez, vous le nourrissez, vous le câlinez et vous le couchez dans une pièce à l'écart. Vous revenez, tout sourire, bien décidés à profiter de ce premier dîner dehors.

Mais, *fatalitas*, vous avez à peine le temps de tendre la main vers votre verre qu'il se met à pleurer. Commence alors une suite ininterrompue d'allers et venues dans la chambre pour tenter de le calmer. Mais que se passe-t-il ?

Toute une conjonction de choses qui peuvent se résumer par : « Je suis seul, abandonné dans un endroit que je ne connais pas où mes parents me délaissent pour d'obscurs inconnus ». La première sortie est rarement de tout repos et bon nombre de parents ont été obligés de capituler et de rentrer chez eux plus tôt que prévu avec un bébé survolté. La prochaine fois, ça ira mieux !

Équipement indispensable pour survivre à un dîner chez des amis avec bébé

- Son **doudou.**
- Sa tétine.
- Une ou deux couches.
- Des lingettes.
- Un rechange.
- Sa turbulette.
- Une nacelle ou un lit parapluie dans lesquels il a l'habitude de dormir (quitte à l'entraîner un peu chez vous).
- Beaucoup, beaucoup de patience surtout si c'est la première fois.
- Et un stock d'Alka-Seltzer pour vous pour le lendemain.

Mais où est la notice ?

Alors que la vendeuse du magasin vous dépliait et vous repliait **la poussette** d'une main et les yeux fermés, à chaque fois que vous en avez besoin, vous avez l'impression de vous retrouver devant un Rubik's Cube. D'autant plus que certains modèles sont plus compliqués à monter que d'autres : souvent les moins chers, forcément. Pour éviter de vous retrouver un jour en train de vous battre avec une poussette sur un parking de supermarché sous la pluie (tant qu'à faire), essayez de la plier et de la déplier vous-même dans le magasin avant de l'acheter et pensez à vous exercer avant chez vous. Et enfin, glissez le mode d'emploi dans votre sac...

Comment survivre
à la première séparation ?

- **Expliquez** à votre bébé que vous allez partir et, bien sûr, revenir !
- Notez sur une feuille les horaires et le « mode d'emploi » de bébé pour faciliter la tâche de la personne qui va le garder (appelons-la « Monique »).
- **Accueillez Monique** avec un grand sourire et papotez avec elle quelques instants devant bébé pour qu'il voie que vous avez toute confiance en elle. Mauvais comédiens s'abstenir...
- Au moment de partir, dites à votre bébé : « Nous partons, mais nous revenons bientôt. En attendant, c'est Monique qui va s'occuper de toi. »
- Partez vite sans regarder en arrière.
- Revenez vite. Pour la semaine aux Maldives en amoureux, il faudra encore attendre un peu.

Définition

Doudou : Succédané de parents pouvant prendre la forme d'un lange dont on s'enveloppe la main, d'un lapin dont on suce amoureusement les pattes et les oreilles, d'un canard géant qu'on s'écrase sur la figure et qui finit irrémédiablement par ressembler à une serpillière.

Trousse de secours
pour les voyages en auto

Pour éviter le scénario-catastrophe, prévoyez :

- Un pare-soleil côté bébé.
- Un rangement à poches accroché devant lui contenant des livres, un petit biberon d'eau, des peluches.
- Un brumisateur.
- Un sac à côté de vous contenant un deuxième biberon d'eau, des biscuits secs, des petits jouets, des tétines et des mouchoirs.
- Des CD de musique ou d'histoires (que vous supportez sinon le trajet va être très, très long...).
- Le *doudou* ;

Et dans le coffre de votre voiture : deux serviettes propres, une bouteille d'eau minérale, de quoi préparer un repas (en cas de bouchons), des couches et des lingettes, du rechange pour bébé et pour vous et une petite couverture.

Poussette and the city

Si vous devez vous déplacer en ville avec votre bébé, troquez votre poussette tout terrain pour un **porte-bébé** ou une poussette-canne plus légère et plus maniable. Et réservez d'avance une dizaine de séances chez l'ostéo.

L'équipement de base pour une petite sortie

- Une ou deux couches.
- Quelques lingettes dans un sac plastique.
- Un body de rechange.
- Une tétine.
- Un biberon rempli d'eau et une dosette de lait en poudre (ou un petit en-cas pour les plus grands).
- Un bavoir.
- Son **doudou.**
- Votre téléphone portable.
- Vos papiers d'identité.
- Vos clés.
- Vos sous.

Tout ça dans un petit sac à dos pour avoir les mains libres dans les magasins.

« Tremble, Zara, me voilà ! »

Un vrai débarquement

À chaque déplacement, c'est le débarquement, car vous voulez pouvoir faire face à **toutes les éventualités** et vous préférez en amener trop que pas assez. Mais il y a une juste mesure à trouver, d'autant plus qu'à moins d'aller au fin fond de la Creuse le week-end, vous pourrez certainement vous dépanner sur place. D'ailleurs, si vous allez régulièrement au même endroit, pensez à y laisser du matériel d'occasion pour éviter d'amener le vôtre à chaque fois. Et pour le reste, mettez tout dans des petits sacs pour être vite limités et concentrez-vous sur les basiques (voir page suivante). Sinon, à ce rythme, ce n'est pas dans un monospace mais dans un semi-remorque qu'il va falloir investir !

L'équipement de base pour un week-end

- 8 à 10 couches.
- Quelques lingettes dans un sac plastique.
- Une tenue de rechange complète.
- Un pyjama.
- Une nacelle ou un lit parapluie.
- Un porte-bébé ou une poussette-canne.
- Une turbulette.
- Son ***doudou.***
- Sa tétine.
- Un jouet ou une peluche familière.
- Si vous stérilisez encore, quelques pastilles spéciales.
- Un ou deux suppos de Doliprane.

Trucs et astuces

- En panne de lingettes ? Lavez les fesses de votre bébé avec un gant de toilette mouillé.

- Pas de chauffe-biberons ? Placez le biberon de bébé à l'oblique dans une casserole remplie d'eau bouillante (comptez 2 minutes pour un biberon de 210 ml).

- Pas de chaise haute ? Utilisez le siège de voiture ou le maxi-cosy.

- Pas de siège de bain ? Eh bien pour une fois, ne le lavez pas et débarbouillez-le avec du coton et du lait de toilette.

- Pas de jouets ? Donnez-lui des pots de yaourts vides et propres, un carton pour faire une cabane...

- Pas de veilleuse ? Laissez la lumière allumée dans le couloir.

- Pas de **doudou** ? Alors là, désolée, mais c'est la cata !

Délit de faciès

Votre bébé a ses têtes, et pas forcément les mêmes que les vôtres.

Si c'est avec quelqu'un que vous voyez peu, ce n'est pas très grave. Par contre, s'il s'agit d'une de ses grands-mères ou de sa baby-sitter, c'est embêtant.

Peut-être se comportent-elles d'une façon qui **le stresse** : voix forte, regard appuyé, trop grande proximité, câlins forcés... Dans ce cas, éloignez-le d'elles pour lui donner un peu d'air. Votre bébé peut aussi sentir votre réserve vis-à-vis de certaines personnes. Essayez d'être plus enjoués et plus chaleureux la prochaine que vous les verrez. Et proposez-leur de jouer ensemble pour qu'ils s'apprivoisent mutuellement, quitte à les laisser en tête-à-tête quelques minutes. Avec le temps, ça devrait s'arranger.

Chapitre 4

L'équipage

Elle et lui... C'est ce qu'il y a de tendrement brodés sur vos serviettes de toilette.

Mais depuis que vous avez pris votre envol avec votre bébé, l'ambiance n'est pas vraiment à la tendresse car vous êtes tous les deux concentrés sur votre mission : passer le cap de la première année. Vous voilà donc assis dans la *cabine de pilotage*, le cœur battant, le ventre noué et le cerveau en compote à vous demander ce qui va bien pouvoir encore vous arriver. Beaucoup de doutes, de questionnements, de regrets, de disputes... Tout ce qui fait le charme de la vie, en quelque sorte.

Publicité mensongère

Votre bébé n'a rien à voir avec les bébés des publicités ? Pas de panique : tous les bébés naissent avec des **petits défauts** : rougeurs et plissures diverses et variées suite à son passage par l'étroit conduit qui l'a mené à la vie, peau qui pèle (ça, c'est le *vernix caseosa*, l'imper naturel qui protégeait sa peau du liquide amniotique, qui s'en va), yeux bouffis et / ou tournoyants, petits boutons et même, pour certains, posture bizarre. Mais dans quelques semaines, tout ça aura disparu. Alors patience, bientôt vous l'aurez votre magnifique bébé de pub.

On ne naît pas maman
on le devient...

Point d'instinct et encore moins d'**amour maternel** à l'horizon. Tout ce que vous inspire votre bébé, c'est de l'angoisse et du ressentiment. Entre le choc physique et mental de l'accouchement, les hormones qui font du looping, la douleur de l'allaitement, la fatigue, le lien mère-enfant met parfois du temps à se tisser. Eh oui, l'amour ne surgit pas brusquement, il se bâtit peu à peu. L'important, c'est d'établir une connexion, en lui faisant des câlins peau à peau, en le massant, en épiant ses mimiques, en le regardant dormir... Par contre, si ça dure, parlez-en à un professionnel : médecin, pédiatre, qui sauront vous aider.

Le chiffre à peu près exact, mais qui rassure

Devant l'ampleur de la tâche et le chambardement de leur vie, 99,9 % des parents se demandent un jour s'ils n'ont pas fait **une erreur**.

« Moi, maman. Toi, bébé »

Votre bébé aime le son de votre voix. Alors parlez-lui. Ça lui donne un repère, ça le berce et ça le *rassure*. Deuxième autre grand avantage : ça crée une complicité, un lien. Et puis, ça fait bouger votre visage et ça, c'est carrément passionnant pour un tout-petit. Quand vous lui parlez, il ne loupe rien : vos lèvres qui s'ouvrent, vos sourcils qui se haussent ou se froncent, votre nez qui se retrousse, vos sourires... C'est cent fois plus captivant que la télé ou qu'un vulgaire jouet. Alors, prêtez-vous au jeu sans lésiner sur les mimiques et le jour où vous arriverez à lui arracher un sourire, vous ne regretterez pas d'avoir été surprise un jour en train de faire la poule !

De mandarines à citrouilles...

Vous qui aviez un léger déficit mammaire, maintenant que vous allaitez vous voilà dotée d'une paire de **citrouilles** bizarrement décorées (lacis de veines, aréoles foncées, mamelons en pointe...). C'est normal. C'est signe que la fabrique de lait tourne à plein régime. Du coup, il faut adapter l'offre à la demande, mettre plus de moyens à disposition avec les changements physiques que ça implique et qui sont, je vous l'accorde, spectaculaires. Mais pas de panique, vos seins reprendront leur aspect normal quand vous cesserez d'allaiter.

Pour le régime, il va falloir attendre

Pour reprendre des **forces** et malgré votre emploi du temps serré, voici plusieurs solutions :

- Faites le plein de barres énergétiques, de fruits secs et de tout ce qui peut se manger d'une main : blanc de poulet, œufs durs.
- Faites-vous livrer des paniers de fruits bio à manger avec la peau.
- Cuisez de grosses quantités de riz et de légumes secs et congelez-les en parts individuelles (il suffira ensuite de les plonger une minute dans l'eau bouillante pour pouvoir les manger).
- Achetez un appareil de cuisson à la vapeur avec un thermostat pour cuisiner vite et sain (sinon, pensez à utiliser le Babycook).

Jalouses ? Non, si peu !

Le plus grand service que vous pouvez vous faire à votre retour à la maison ? Arrêter de feuilleter les magasines people où les stars exhibent leur ventre plat dès la sortie de la maternité. Entre nous, ce sont soit des menteuses, soit des **mutantes**. Et c'est facile de se mettre au régime quand on a une armée de petits bras pour assurer la logistique !

Le chiffre pas tout à fait exact mais qui rassure

99,9 % des jeunes mamans n'arrivent pas à **se doucher** et encore moins à se coiffer et à se maquiller avant 17 heures.

La signification des rêves

Vous faites des rêves angoissants genre : « J'apprends à voler à bébé du douzième étage ? » Réjouissez-vous. C'est signe que votre ***inconscient*** se décharge et que jamais, ô grand jamais, vous ne passerez à l'acte.

Baby blues

Peu de temps après l'accouchement, des phases de **cafard** sont tout à fait normales pour les jeunes mamans. La faute aux hormones, à la fatigue, à la peur de ne pas assurer, etc. Il survient le plus souvent 3 à 10 jours après l'accouchement. Mais si ça dure, c'est que *le baby blues* est en train de se transformer en dépression *post-partum*. Cette dépression touche 10 à 15 % des mères et parfois même les pères. C'est courant. Parlez-en à votre compagnon (s'il n'est pas dans un état pire que vous), à une amie, à votre médecin, enfin à toute personne qui pourra vous comprendre et vous aider.

S.A.V.

À défaut d'un service après-vente, qui contacter et où aller se *plaindre* de son bébé ?

- Le pédiatre.

- La PMI.

- Le médecin.

- Un café des parents.

- Une sœur d'arme, c'est-à-dire une maman ayant déjà vécu ça.

- Les forums ou les blogs de jeunes parents.

Maman louve

Vous n'avez confiance qu'en vous et avez acquis une compétence certaine à éloigner les *intrus* ? Alors vous souffrez peut-être de ce que certains appellent le « syndrome de la mère toute-puissante » qui se caractérise par un manque de confiance total dans les autres et une peur farouche de se faire voler la vedette.

En faisant cela, vous vous privez de deux grandchoses : d'une meilleure complicité avec le papa et de l'aide offerte par votre entourage avec, en bonus, un peu de repos. Ce n'est pas parce que les gens ne font pas comme vous que c'est mal. Le biberon coule un peu trop vite, et alors ? Prenez sur vous...

Vous verrez, ça fera du bien à tout le monde.

... *et papa poule !*

Monsieur, vous trouvez que votre femme s'acca-
pare trop votre bébé ? Patience. Vous l'aurez un
jour, votre **revanche**, car le premier mot que
disent la majorité des bébés est « papa » et non
« maman ».

Parce qu'il le vaut bien !

Septième fois que vous lui lisez *Petit Ours brun chez mamie*, trente-deuxième fois que vous lui redonnez son gobelet qu'il relance aussitôt par terre. Sans parler de la préparation des biberons, des tournées de linge, des promenades dans le centre commercial près de chez vous... Mais comment font les autres jeunes parents pour **supporter** ça ? Eh bien, ils font comme vous. Ils souffrent en silence en espérant une embellie : une nouvelle mimique, un sourire complice, un premier mot... En attendant, proposez à votre bébé des activités qui vous intéressent ou vous amusent un minimum.

Le chiffre pas vraiment exact mais qui rassure

99,9 % des jeunes parents ont l'impression de tout ***bâcler*** et de ne pas s'investir assez dans chaque tâche.

Relooking

Il est normal que votre corps porte encore les stigmates de la grossesse, même si vous avez perdu des kilos à l'accouchement.

Mais comme il serait bon pour votre moral de pouvoir rapidement enfiler vos anciens jeans car vous ne vous trouvez pas spécialement glamour avec vos cernes et vos bourrelets moulés dans votre jogging !

Le problème, c'est qu'il va falloir du temps à votre corps pour se remettre de tout ça. Mais en attendant, essayez de vous confectionner un ou deux **looks sympas** à base de superpositions ou de grandes et belles tuniques. C'est plus rapide et moins épuisant que de faire un régime.

Anxiomètre en zone rouge

Vous vous inquiétez pour votre bébé. Rien de plus normal. Mais il y a une différence entre **vigilance** et peur irraisonnée. Pour les peurs concrètes et justifiées (mort subite du nouveau-né, dangers des biberons en plastique, eczéma qui ne part pas...), demandez conseil à votre pédiatre ou votre médecin. Et pour le reste, faites confiance à votre bébé. Sinon, vous allez vous épuiser nerveusement car, si la première année est particulièrement angoissante, pensez à ce que sera la suite : « A-t-il fait ses devoirs ? », « Se méfie-t-il vraiment des "méchants messieurs" ? », « Où a-t-il passé la nuit ? », « Quand va-t-il se décider à prendre un appart ? »

Car oui, un jour, vous en arriverez là !

Petite liste non exhaustive
*de ce à quoi doivent renoncer la plupart des jeunes
parents à la naissance d'un bébé*

- ***Les grasses matinées.***
- Un intérieur bien rangé.
- Les fins de journée tranquilles devant la télé.
- Les nuits crapuleuses.
- Vivre sans montre.
- Les vacances avec des amis sans enfants.
- L'improvisation, l'insouciance du lendemain...
- Le coupé sport.
- Les soirées branchées et décadentes.
- Le teint frais.

Inutile quand même de revendre vos collections
de DVD et vos nuisettes sexy. Un jour, vous serez
contents de les retrouver !

« *Ils se marièrent et eurent beaucoup d'enfants...* »

Au lieu de vous épauler, vous vous déchirez et vous vous reprochez tout et son contraire : de ne pas en faire assez, d'en faire trop, de mal faire, de monopoliser le bébé... ?

Le passage au stade de parents s'accompagne en effet d'un certain nombre de changements importants avec, d'un côté, une augmentation en flèche des tâches ménagères et de l'autre, une baisse vertigineuse de l'énergie et de la patience. Quoi qu'il arrive, il faut garder le lien c'est-à-dire vous **parler**, dire ce que vous avez sur le cœur au lieu de laisser le ressentiment s'accumuler en vous. Soit, ça fait très « bisounours » mais aux grands maux, les grands remèdes.

Comment désamorcer une grosse crise et maintenir le dialogue

- Se pelotonner l'un contre l'autre sur le canapé devant la télé quand on arrive enfin à se poser.

- Écouter les revendications de l'autre et trouver des compromis. Et au lieu de contre-argumenter, y réfléchir seul, au calme.

- Remercier l'autre pour ce qu'il fait même si vous trouvez que c'est peu.

- Avoir de petites **attentions** l'un envers l'autre, comme se faire un plat qu'on aime.

- Prendre conscience qu'on s'en prend à l'autre uniquement parce qu'il est là, devant nous.

- Se recadrer sur l'essentiel, l'amour, en se disant que ce n'est qu'un passage.

- Faire une sortie en amoureux.

- Se réconcilier sur l'oreiller.

Le saviez-vous ?

35 % des couples interrogés avouent qu'il leur arrive souvent (4 %) ou parfois (31 %) de se disputer au sujet de la **répartition des tâches ménagères** (source Ipsos).

Ils ont dit...

« L'arrivée d'un enfant accentue le déséquilibre du partage des tâches domestiques entre hommes et femmes. »

Arnaud Régnier-Loilier,
Institut national d'études démographiques (2010)

Jamais contents...

Quand l'un(e) dit : « Je veux voir du monde ! »...
...l'autre dit : « J'en peux plus des réunions de travail ! »

Quand l'un(e) dit : « Je veux sortir ! »...
...l'autre dit : « Je rêve de passer une après-midi, tranquille, chez moi. »

Quand l'un(e) dit : « Je n'en peux plus de faire areu, areu, avec bébé »...
...l'autre dit : « Je ne vois pas mon bébé grandir. »

Si vous avez l'impression de vivre sur **deux planètes différentes**, parlez-vous pour comprendre les joies, les objectifs et les difficultés de l'autre et expliquer les vôtres. Fixez-vous un rendez-vous hebdomadaire pour faire le point.
Si vous ne faites pas complètement la paix, ça vous ouvrira les yeux sur les difficultés de l'autre.

« Jude était absent. Je passais mes journées sur le canapé, grossissant à vue d'œil, avec l'horrible sensation que mon couple ne s'en remettrait jamais. »

Sadie Frost, ex-femme de Jude Law...
et mère de ses trois enfants.

Et le sexe, dans tout ça ?

Madame, entre la distension de votre intimité, vos hormones qui font **Space Mountain**, la fatigue, le stress et le ressentiment liés à vos nouvelles responsabilités, vous n'avez pas vraiment la tête à la **bagatelle**.

Quant à vous, Monsieur, vous avez du mal à retrouver votre déesse d'atan sous les traits de cette jeune maman.

Il est normal de **faire une pause** pendant quelques semaines après l'accouchement, le temps que chacun récupère physiquement et psychologiquement. Mais ensuite rétablissez le contact. Faites simple : des baisers, des caresses douces et langoureuses... Et plus, si affinités. Ce sera sans doute pataud au début mais c'est normal car c'est une véritable redécouverte.

Le chiffre pas vraiment exact mais qui rassure

99,9 % des jeunes parents attendent au moins **2 à 3 mois** avant de se retoucher.

Monsieur, réveillez
la tigresse qui dort en elle

- Parlez-lui pour garder le lien et une certaine complicité.
- Faites-lui des compliments.
- Faites-la rire.
- Soyez **tendre**.
- Cachez-lui des mots doux un peu partout dans la maison.
- Préparez-lui son petit déjeuner.
- Surprenez-la par des attentions : fleurs, petit cadeau, sortie surprise, dîner aux chandelles...
- Emmenez-la faire du shopping.
- Partez en week-end en amoureux.
- Éteignez les plafonniers et allumez des lampes d'appoint ou des bougies d'ambiance.
- Prenez votre mal en patience en vous disant que là encore, c'est passager. En revanche, si ça s'éternise, allez voir ensemble un spécialiste, car il faut parfois le coup de pouce d'un professionnel pour relancer la machine.

Le chiffre à peu près exact
mais qui rassure

99,9 % des femmes redoutent le **premier rapport après l'accouchement** et mettent des mois à avoir une once de plaisir.

Ce qu'il ne faut surtout pas faire
si vous voulez réveiller la libido de Madame

- Lui proposer de jouer au docteur.
- La peloter sans cesse avec un regard lubrique.
- Lui mettre un ultimatum.
- La *forcer.*
- Prendre une maîtresse pour la rendre jalouse.

Définition

Radar anti-câlins : Appareil dont semblent être équipés tous les bébés et qui se met en route à l'instant où les parents commencent enfin à se toucher.

« Sors de mon corps, Maman ! »

L'autre jour, en vous entendant parler, vous avez cru entendre votre mère (ou votre père ?). En effet, l'arrivée d'un bébé, surtout si c'est le premier, ouvre souvent les vannes des **souvenirs**. Des bons comme des mauvais. Et ils ressurgissent sous toutes les formes : réflexions, comportement, rêves...

Si c'est le cas, essayez de décortiquer le comment du pourquoi : Vos parents étaient-ils sévères ? Étaient-ils patients ou à cran ? Étaient-ils hyper présents ou absents ? Étaient-ils tendres ou distants ? N'hésitez pas à en parler à votre conjoint car il (elle) se pose sans doute les mêmes questions.

À deux, on arrive plus facilement à prendre du recul ou à assumer son histoire personnelle.

Mère et fille

Votre mère a toujours **un bon conseil** à donner, une **remarque agréable** à faire ? Rien de vraiment étonnant à ça.

L'arrivée d'un premier bébé, en plus de semer la confusion dans les rapports de couple, peut aussi réactiver d'anciens schémas conflictuels avec proches. Peut-être que malgré les années, votre mère vous considère toujours comme une enfant et qu'elle doute de vos capacités. Peut-être qu'elle ne supporte pas de vous voir lui échapper. Peut-être qu'elle est jalouse de vous. Peut-être qu'elle tente de vous voler l'affection de votre bébé (ou de son fils, si c'est votre belle-mère)... tant de choses inconscientes et difficilement avouables !

Eh oui, les méchantes reines n'existent pas que dans les contes de fée. Vous voilà prévenus.

Gérer l'ingérence

Comme vous n'avez pas vraiment le temps d'aller vous étendre sur les divans des psys, il va falloir prendre quelques mesures graduées vis à vis des proches trop intrusifs :

• Assurez-vous dans un premier temps que vous avez le soutien de votre compagnon (ou de votre compagne) car ce genre d'attitude peut nuire gravement au couple.

• Commencez par **dire** gentiment à votre mère que ses remarques vous blessent et qu'en ce moment, vous avez plus besoin d'une alliée que d'une rivale.

• Si vous devez retourner travailler, ne l'intronisez surtout pas nounou en chef.

• Si, malgré vos avertissements, elle persiste et signe, boycottez-la quelque temps en lui expliquant pourquoi.

Super Woman...

Avouez-le, vous aussi, vous rêvez de voleter allègrement de tâches en tâches, toujours pimpante et souriante.

Mais pourquoi ?

L'envie de bien faire, de montrer qu'on maîtrise ? L'envie aussi, même si on l'avoue moins facilement, d'épater la galerie ? Il faut dire que la pression est réelle notamment de la part des magazines qui nous vendent une image tronquée de la femme idéale qui en plus de s'occuper de bébé travaille, fait le ménage, prépare à dîner pour de nombreux invités, s'occupe d'elle, de son homme, de ses quatre aînés... ***STOP !***

Faites juste ce qu'il est possible de faire pour une femme normale, pour votre bien et celui de votre entourage.

Faites du sport !

« Ça va pas la tête, je suis crevée ! » Mais dites-vous que le sport **tonifie** et qui dit « tonifie », dit « énergie ». De plus, il booste la production d'une hormone très spéciale, l'endorphine, l'hormone du bonheur. Tonicité, bonheur... ne serait-ce pas ce dont vous avez le plus besoin en ce moment ?

Cependant, rassurez-vous, vous avez un peu de sursis (4 à 5 mois), le temps de récupérer de l'accouchement et de retendre ce magnifique périnée qui faisait votre fierté. Mais après, plus d'excuse d'autant plus que maintenant, on peut trouver des salles de sport avec garderie, on peut suivre des cours gratuits sur Internet, on peut louer des DVD, etc. C'est minimum une demi-heure par jour. Et avec le sourire !

Les sports recommandés après l'accouchement

- La marche tonique et rapide (avec bébé dans sa poussette).

- La descente et remontée de tous les escaliers à pieds (si possible en portant des packs d'eau ou la poussette avec bébé dedans).

- Le yoga.

- Le pilates.

- Le hula hoop sur Wii Fit.

- La natation.

Et, vous n'y échapperez pas : **les abdos**.

Vous avez dit abdos ?

Figurez-vous que l'exercice d'abdos le plus facile au monde est tout à fait adapté à votre cas puisqu'il remuscle en profondeur sans forcer sur les organes génitaux et le périnée. Voici comment procéder :

- Allongez-vous sur le dos, les genoux pliés et les pieds posés par terre.
- Rentrez le ventre au maximum pour plaquer le bas du dos au sol.
- Posez la main sur le ventre pour sentir la contraction du transverse car c'est lui qui travaille en ce moment.
- Tenez la contraction 10 à 20 secondes.

Recommencez autant de fois que vous voulez.

Maintenant, vous n'avez plus ***aucune excuse*** pour vous abstenir !

Les sports déconseillés après l'accouchement

- L'aérobic.
- L'équitation.
- Le tennis.
- Le squash.
- Le *saut de haies.*
- La boxe.
- Le lancer de maxi-cosy.

Donc pour vous défouler, il faudra trouver autre chose !

Un mais pas deux...
ou pas tout de suite

L'autre jour, vous avez fait un horrible cauchemar : on vous annonçait que vous étiez de nouveau enceinte. Panique totale !

Pour que cela ne devienne pas réalité, prenez vos dispositions car vos ovaires vont être en état de marche plus tôt que vous ne l'imaginez : 2 semaines après l'accouchement dans certains cas, même si, en moyenne, c'est plutôt de l'ordre de 45 jours. Sachez aussi que l'allaitement n'est pas un moyen de contraception. Si vous le souhaitez, faites-vous prescrire une *minipilule* (qui n'a pas d'effet sur le lait maternel ni sur l'enfant) ou mettre un implant dès que possible car maintenant que vous savez ce que c'est d'avoir un bébé, vous imaginez ce que ça fait d'en avoir deux ?

Daddy blues

Monsieur, hormis les problèmes d'allaitement et d'épisio, vous êtes dans le **même état** que la mère de votre enfant.

Kilos en trop, fatigue extrême car il est difficile de concilier réveils nocturnes et travail diurne, stress financier, difficulté à aimer cette petite chose qui monopolise à 100 % votre compagne. Avec, en conséquence ultime, le moral dans les chaussettes et cette lancinante question : « Mais qu'est-ce qu'on a fait ? ».

Ne cherchez pas plus loin, vous faites un bon gros **daddy blues**, l'équivalent du **baby blues** sans l'apport hormonal. Il est normal que vous vous posiez des questions. Tout jeune papa s'en pose un jour ou l'autre. Ça veut dire que vous gardez un sens critique sur ce qui se passe.

Un simple regard sur votre compagne ou votre bébé devrait vous réconforter...

Ils ont dit...

« Il en faut peu pour être heureux, vraiment très peu pour être heureux. Il faut se satisfaire du nécessaire. »

Baloo, ours philosophe du *Livre de la jungle*.

Chapitre 5

Les spectateurs

Dernier aspect non négligeable de cette première année avec votre bébé : vos relations avec les autres car là aussi, ça va tanguer. Entre ceux qui ont un avis sur tout, ceux qui vous envahissent, ceux qui vous laissent tomber, ceux qui vous critiquent dès que vous avez le dos tourné ou ceux qui ne vous épargnent rien, vous allez être gâtés.

Ils ont dit

« Qu'est-ce qui t'est arrivé ? Regarde-toi. Tes vêtements, tes cheveux...
- J'ai eu deux enfants. »

Eddie et Gabrielle Solis,
respectivement cougar et mère au foyer,
Desperate Housewives.

*Enceinte, on fait l'objet
de toutes les attentions...*

... et de tous les **conseils** plus ou moins avisés.
Mais quand on a un bébé, on doit faire face à une
avalanche de conseils contradictoires quand ce ne
sont pas carrément des regards critiques ou des
reproches.

Eh oui, tout le monde a un avis à donner sur la
question. Comme si la France comptait des mil-
lions de Françoise Dolto, de Laurence Pernoud
ou d'Aldo Naouri... Ou comme si les gens avaient
la mémoire courte et ne se souvenaient pas des
difficultés qu'ils ont eux-mêmes rencontrées avec
leurs bébés...

Ne leur en voulez pas. C'est souvent par solidarité, par compassion mais vous seuls savez ce qui
convient le mieux à votre bébé.

Alors, fiez-vous à votre instinct.

Petites conversations entre amis

Les rares fois où vous voyez vos amis, vous n'avez qu'un mot à la bouche « bébé ».

Par fierté de la **petite merveille** que vous avez conçues, par besoin d'aller à la pêche aux infos ou tout simplement parce que votre cerveau est incapable de switcher sur un autre sujet.

Autant il est normal et souvent utile d'agir ainsi avec des frères et sœurs de galère autant il est fortement déconseillé de le faire en présence d'amis sans enfant. Souvenez-vous de ce temps, pas si lointain, où vous étiez dans ce cas et où vous fuyiez les rassemblements de jeunes parents. Alors surveillez-vous de près. Pas plus d'une heure sur le sujet sinon vous ne reviendrez pas en deuxième semaine !

Le chiffre à peu près exact,
mais qui rassure

99,9 % des jeunes parents **oublient tout** après la première année. Donc quand ils vous disent que tout c'est super bien passé avec leurs bébés, c'est faux.

« *Ne vous mettez pas la pression !* »

En fait, vous, votre problème c'est la pression que vous sentez ***de l'extérieur*** : « On ne vous voit plus », « Pourquoi vous partez si tôt ? », « Ça fait 15 jours que je n'ai pas vu mon petit-fils ! » Pas facile de dire non. Vous seuls savez ce qui est bien pour vous et pour votre bébé. Et si vous ne vous sentez pas de le laisser pour aller festoyer avec la perspective de devoir vous en occuper dans un état semi-comateux le lendemain, déclinez gentiment l'offre qu'on vous fait. Et tant pis pour ce que pensent les autres. Ils comprendront le jour où ils auront un bébé et vous, vous râlerez de les voir si sages !

Le chiffre à peu près exact, mais qui rassure

Malgré toutes leurs bonnes résolutions...
99,9 % des jeunes parents cessent de mener *une vie de patachons* après l'arrivée d'un bébé.

Une nounou d'enfer !?

« **Avec moi**, il fait des siestes de 3 heures », « Avec moi, il finit son assiette », « Avec moi, il s'endort sans pleurer »...

Il y a des soirs où vous auriez envie de cogner la nounou. Car vous savez qu'après vos neuf heures de travail et deux heures de transport, vous allez maintenant vous taper une comédie au moment de partir de chez elle et au moins deux heures de corrida derrière. Que c'est frustrant et injuste d'être parents !

Eh oui, les enjeux ne sont pas les mêmes qu'avec la nounou même si, quelque part, il est rassurant de voir que bébé l'aime bien. Pour comprendre cet étrange phénomène, allons faire un petit tour dans la tête de bébé : « Mes parents, je voudrais les avoir tout le temps pour moi, surtout ma maman. »

Voilà, c'est aussi **simple** que ça.

Chacun voit midi à sa porte...
ou plutôt, fait comme il peut

Ce n'est pas parce que les autres jeunes parents ne font pas comme vous que c'est mal. Ou inversement. Alors un peu de *solidarité* et de compréhension que diable !

Savoir décrypter le langage des autres parents

Voici ce qu'ils vous disent... et ce qu'il faut comprendre :

- « Oh, le nôtre a marché à dix mois. » = On passait nos journées pliés en quatre pour lui tenir la main !

- « **Le nôtre** lit les livres de son grand frère. » = Il arrache toutes les pages.

- « Le nôtre mange de tout. » = Même le contenu de sa couche.

- « Le nôtre fait déjà ses nuits. » = Il nous laisse dormir quatre heures d'affilée.

- « Le nôtre est très imaginatif. » = Il fait des tas de bêtises auxquelles le vôtre ne pense même pas.

- « Le nôtre a déjà plein de dents. » = On n'en peut plus des poussées dentaires.

- « Le nôtre était moins costaud (comprendre : gros). » = En fait, il n'avale rien et les repas sont un calvaire !

À bon entendeur !

Les **jouets sonores** sont non seulement néfastes pour les nerfs des parents, mais ils le sont aussi pour les petites oreilles des enfants.

En gros, au-delà de 85 décibels, il y a danger. Et quand on sait que les problèmes d'audition sont cumulatifs, c'est-à-dire qu'ils s'aggravent avec le temps, il est important d'agir. Le problème, c'est que le niveau de décibels est rarement indiqué dans la notice des jouets. Alors que faire ?

S'il est vraiment trop bruyant, mettez plusieurs couches de scotch sur le haut-parleur pour en atténuer le son.

Et si ça ne suffit pas, enlevez les piles en disant : « Désolé, mon chéri, il est cassé. Prends plutôt un livre. »

Le chiffre pas vraiment exact mais qui rassure

Au cinquantième « Quel joli petit garçon ! », 99,9 % des parents de petites filles craquent et foncent acheter des **gilets roses** et des petites barrettes.

Florilège de questions idiotes
que vous allez entendre
durant cette première année

... avec **les réponses clé en main** :

« Vous pouvez replier votre poussette ? »
Eh bien, non, désolée. J'ai trois sacs de lingettes,
des biberons et une bouteille d'eau dessous et de
toute façon mon bébé ne tient pas debout.

« Et le deuxième, vous le faites quand ? »
Après ce que j'ai vécu, jamais. (Et là, vous vous
lancez dans une description sanglante de votre
accouchement.)

« Oh, quel beau ventre ! C'est pour quand ? »
Septembre de l'année dernière.

« Charmants, ces motifs tie and dye sur ton tee-
shirt. »
Ce sont des auréoles de lait, ma chère. C'est la
classe, hein ?

« *Viens boire un p'tit coup à la maison* »

Maintenant que vous avez un peu récupéré, vous aimeriez bien revoir vos amis sans enfant.

Prouvez-leur que vous êtes ni rasoirs, ni gagas, en organisant des apéritifs ou des **brunchs** chez vous sur la base du « chacun apporte quelque chose ». Et tant pis si votre intérieur n'est pas impeccable et si vous n'êtes pas parés comme du temps de votre splendeur. L'important, c'est de passer un bon moment avec vos amis comme avant. Et, pompon sur le chapeau, votre bébé sera beaucoup moins stressé que s'il était dans un endroit qu'il ne connaît pas et où il ne peut rien dire et rien toucher sans vous voir vous décomposer.

Ça s'arrose, non ?

Petits travers des jeunes parents
que les « sans enfant » ne supportent pas

- L'écoute-bébé posé sur la table de l'apéro.
- L'autocollant « bébé à bord » collé sur la vitre arrière de la voiture.
- Les regards qui décrochent et les oreilles tendues vers la chambre de bébé, genre « je t'écoute, sans t'écouter ».
- Les histoires de couches pleines ou de seins engorgés.
- La description détaillée de l'accouchement.
- Les 581 photos non triées de la maternité.
- La séance d'allaitement sous leur nez.
- L'obligation de chuchoter pour ne pas réveiller l'héritier.
- Les papouilles à rallonge.
- Le langage bébé.
- Les *regards gagas.*
- Les grands cris enthousiastes : « Hiiiii, il a attrapé son pouce ! », « Aaaah, il a retrouvé son hochet ! »

Jaloux s'abstenir

Quand vous voyez votre bébé faire la fête à sa nounou ou à sa grand-mère, vous avez un pincement au cœur. Quelle ingratitude. C'est quand même vous qu'il est censé aduler, non ?

Plutôt que de râler et bouder dans votre coin, réjouissez-vous de voir votre bébé s'ouvrir aux autres car c'est signe qu'il grandit et est en train de devenir un petit être **autonome**, social et confiant. Alors, en bons opportunistes que vous êtes, pensez à solliciter ces personnes pour vous aider ou vous le garder de temps en temps.

Vous verrez, bientôt, c'est vous qui leur ferez la fête !

Le ridicule ne tue pas !

Démonstration :

- Vous ouvrez grand la bouche quand vous nourrissez bébé.

- Il vous arrive de dire des *choses étranges* comme « il est bon le lolo, hein, mon loulou ? »

- Vous avez oublié de mettre une couche à bébé juste avant de sortir le promener en kangourou.

- Votre bébé a hurlé toute la nuit dans l'avion malgré les litres de sirop « Bébé calme » que vous lui avez donné.

- Votre bébé a failli asphyxier tous les passagers par sa couche pleine et odorante.

- Voulant faire « les parents parfaits », vous avez grondé bébé pour une broutille dans un magasin sous les regards scandalisés de l'assistance.

- Votre bébé a tiré sur la ficelle de votre bas de maillot à la plage. Et bien sûr, vous étiez debout.

Épilogue

Le chiffre à peu près exact, mais qui rassure

99,9 % des parents finissent par dire : « Comme ça a passé vite » avec une *pointe de regret* dans la voix.
Alors, c'est pour quand le prochain ?

O.K., je *sors*.

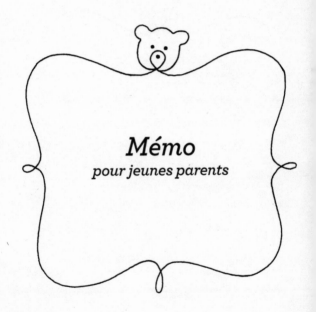

Mémo
pour jeunes parents

Mémo
pour jeunes parents

....
....
....
....
....
....
....
....
....
....
....

Mémo
pour jeunes parents

....
....
....
....
....
....
....
....
....
....
....
....

Mémo
pour jeunes parents

....

....

....

....

....

....

....

....

....

....

....

Mémo
pour jeunes parents

....
....
....
....
....
....
....
....
....
....
....
....

Mémo
pour jeunes parents

Mémo
pour jeunes parents

....

....

....

....

....

....

....

....

....

....

....

Achevé d'imprimer
Imprimé en Chine par Topan
Dépôt légal : avril 2011
Codif. : 40.7567.7
I.S.B.N. : 978.2.501.07151.2